Thank you ♥
for hosting
me
Josi ♥

Tom Patrick Heins

Marburg
an der Lahn

deutsch   english   français

Wartberg Verlag

Bildnachweis
Alle Bilder von Tom Patrick Heins

Übersetzungen
Ariane Allo (französisch)
Anthony Alcock (englisch)

1. Auflage 2012
Alle Rechte vorbehalten, auch die des auszugsweisen
Nachdrucks und der fotomechanischen Wiedergabe.
Layout und Satz: Sabine Laubig, Berlin
Buchbinderische Verarbeitung: Büge, Celle
Druck: Bernecker, Melsungen
© Wartberg Verlag GmbH & Co. KG
34281 Gudensberg-Gleichen, Im Wiesental 1
Telefon: 0 56 03/9 30 50, www.wartberg-verlag.de
ISBN: 978-3-8313-2333-3

Vorwort

Historisch bedeutsam und beschaulich zugleich, geprägt von monumentalen Bauten und verwinkelten Gassen, lebhafte Universitätsstadt inmitten der Hügel Mittelhessens – so könnte man versuchen Marburg zu beschreiben.

Wer einmal in Marburg gewesen ist, wird fasziniert sein von der Atmosphäre der historischen Altstadt, vom imposanten Schloss, der prächtigen Elisabethkirche und einem allgegenwärtigen universitären Flair, das seinesgleichen sucht. Von all dem soll dieses Buch im wahrsten Sinne des Wortes ein Bild vermitteln.

Tom Patrick Heins

Preface

Historically important and attractive at the same time, with historic buildings and winding alleys, it is a lively University town among the rolling hills of Central Hesse – this is how Marburg might be described.

Anyone who has been in Marburg will be fascinated by the atmosphere of the historic centre, the impressive Castle, the magnificent Church of St Elizabeth and the ubiquitous and unique style of the University town. This volume will try, quite literally, to illustrate all of this.

Tom Patrick Heins

Introduction

Riche historiquement et paisible à la fois, dotée de constructions monumentales et de ruelles sinueuses, ville universitaire animée au milieu des collines de la Hesse centrale – ainsi pourrait-on essayer de décrire Marbourg.

Il suffit d'une seule visite à Marbourg pour être fasciné par l'atmosphère de la vieille ville historique, l'imposant château, la somptueuse église Saint-Elisabeth et le charme incomparable de l'ambiance estudiantine qui règne dans toute la ville. De tout ceci ce livre doit, au vrai sens du terme, donner une image.

Tom Patrick Heins

Die Elisabethkirche

Trotz vieler bekannter Persönlichkeiten die im Laufe von Jahrhunderten in Marburg gelebt und gewirkt haben, nimmt eine doch eine Sonderrolle ein: die Landgräfin Elisabeth von Thüringen. 1228 wählte sie Marburg als ihren Witwensitz und errichtete ein Hospital, wo sie sich ihrem Status zum Trotz der Pflege Kranker und Gebrechlicher annahm. Obwohl sie drei Jahre später im Alter von nur 24 Jahren starb, wurde sie zur Legende. Nach ihrer Heiligsprechung im Jahr 1235 begann der Deutsche Orden, über ihrem Grab die Elisabethkirche zu errichten. 1340 wurde der Bau mit der Fertigstellung der beiden 80 m hohen Türme vollendet. Er gilt als die erste rein gotische Kirche im deutschen Kulturgebiet und war im Mittelalter ein bedeutendes Ziel für Pilger aus ganz Europa.

Church of St Elizabeth

There have been many well-known personalities who have lived and worked over the centuries in Marburg, but one of them has a special place: Countess Elizabeth of Thuringia. In 1228 she chose Marburg as the place to spend her life as a widow and built a hospital, where, despite her social status, she undertook to care for the sick and the infirm. Although she died three years later at the early age of 24, she became a legend. After her canonization in 1235, the Teutonic Knights built the church over her grave. In 1340 the building was completed after the two 80 m high towers had been finished. It is the first purely Gothic church in the German-speaking area and in the Middle Ages became an important site for pilgrims from all over Europe.

L'église Sainte-Elisabeth

Bien que beaucoup de personnalités connues aient vécu et travaillé à Marbourg au fil des siècles, l'une d'entre elles a bien un rôle privilégié : il s'agit de la landgrave Elisabeth de Thuringe. En 1228, elle décida de s'installer à Marbourg pour vivre son veuvage et fit construire un hôpital au sein duquel, malgré son statut, elle soigna les malades et les infirmes. Bien qu'elle mourut précocement trois ans plus tard à l'âge de 24 ans, elle devint une légende. Après sa canonisation en 1235, l'Ordre Teutonique commença à construire l'église Sainte-Élisabeth au-dessus de sa tombe. En 1340, l'édifice fut terminé avec l'achèvement des deux tours de 80 m de hauteur. Il est considéré comme la première église de style purement gothique sur le sol allemand et était au Moyen-âge un lieu important pour les pèlerins de l'Europe entière.

Das Hauptportal der Elisabethkirche zeigt Maria mit dem Christuskind, flankiert von zwei Engeln.

––◄◦►––

The main gate of St Elizabeth's shows Mary with the child Jesus, flanked by two angels.

––◄◦►––

Le portail principal de l'église Elisabeth montre Marie avec Jésus-Christ, encadré de deux anges.

Im nördlichen Seitenschiff findet man eine Skulptur der Heiligen Elisabeth. Außerhalb der Kirche lassen sich die Gestalt und die Proportionen dieses beeindruckenden Gebäudes anhand eines Modells nachvollziehen.

———◦———

In the northern side aisle there is a sculpture of St Elizabeth. Outside the church the shape and proportions of this impressive building can best be seen in a model.

———◦———

Dans la nef latérale du nord se trouve une sculpture de la sainte Elisabeth. À l'extérieur de l'église, une maquette permet de comprendre les proportions et les ornements de cet impressionnant édifice.

Das Triptychon im Eingangsbereich des linken Seitenschiffes.

The triptych in the narthex of the left side aisle.

Triptyque à l'entrée du bas-côté gauche.

Blick auf das Mittelschiff und den Kreuzaltar, den ein Kruzifix von Ernst Barlach schmückt.

View of the central aisle and the altar, with a crucifix of Ernst Barlach.

Vue sur la nef centrale et l'autel de la Croix que décore un crucifix d'Ernst Barlach.

Das St. Elisabeth Hospital

Neben der Elisabethkirche errichtete der Deutsche Orden um 1250 das St. Elisabeth Hospital.
Über sechs Jahrhunderte diente das Gebäude als Krankenhaus, bis es 1887 größtenteils abgerissen wurde. Seitdem existiert nur noch ein Teil des Chorraums der zugehörigen Kapelle.

St Elizabeth Hospital

In addition to the church the Teutonic Knights built the hospital around 1250.
The building served as a hospital for over 600 years, until in 1887 it was largely demolished. Only a part of the choir belonging to the hospital chapel remains.

L'Hôpital St. Elisabeth

En 1250, l'Ordre Teutonique construisit l'Hôpital St. Elisabeth à côté de l'église Sainte-Elisabeth.
Avant qu'une grosse partie soit rasée en 1887, l'édifice fut utilisé pendant six siècles comme hôpital. Depuis lors, seule une partie du chœur de la chapelle attenante existe encore.

Die Ketzerbach

Gegenüber des Hauptportals der Elisabethkirche beginnt die Ketzerbach. Die Straße verdankt ihren Namen einem Bach, der einst hier entlang floss. Vor rund 150 Jahren wurde er kanalisiert und fließt seitdem unterirdisch. Bei der Umgestaltung der Straße zwischen 2006–2008 wurde zwischen den Fahrspuren ein Wasserspiel angelegt, das wieder an den ehemaligen Bachlauf erinnert.

The Heretic's Stream

Opposite the main entrance of the Church of St Elizabeth is the beginning of the street known as Ketzerbach, a street that owes its name to a stream that ran here. About 150 years ago the stream was channelled and ever since has run below ground. When the street was re-designed between 2006 and 2008, a fountain was added to it in memory of the stream that used to run there.

Le ruisseau hérétique

En face du portail principal de l'église Sainte-Elisabeth, commence le Ketzerbach. La rue doit son nom à un ruisseau qui coulait autrefois à cet endroit là. Il fut canalisé il y a environ 150 ans et coule depuis lors sous terre. Lors du réaménagement de la rue entre 2006 et 2008, un jeu d'eau rappelant l'ancien cours du ruisseau a été construit entre les deux voies.

Die Oberstadt

Das Herz von Marburg ist die am Rücken des Schlossberges gelegene historische Altstadt. Diese besondere Lage an den Hängen des Schlossberges verleiht der Oberstadt ihren einzigartigen Charakter. Hier verbinden hunderte Treppen mit tausenden Stufen die schmalen Gassen miteinander. Die große Zahl an Fachwerkhäusern lassen den mittelalterlichen Ursprung dieses Stadtteils nachempfinden. Viele dieser Häuser sind seit den 1970er-Jahren aufwendig restauriert worden.

Upper Town

The heart of Marburg is the historic centre situated at the back of the Schlossberg. This special situation on the slopes of the Schlossberg lends the Upper Town its unique character. Hundreds of flights of steps with thousands of steps link the narrow alleys with each other. The large number of timber frame houses gives you a feeling of the medieval origin of this district. Many of these houses have undergone substantial restoration work since the 1970s.

La ville haute

La vieille ville historique, sise sur les pentes de la colline du château, constitue le cœur de Marbourg. Cet emplacement particulier à flanc de colline donne à la vieille ville son caractère unique. Des centaines d'escaliers composés de milliers de marches y relient les ruelles étroites entre elles. Le grand nombre de maisons à colombage rend perceptible l'origine moyenâgeuse de ce quartier. Beaucoup de ces maisons ont été restaurées avec soin depuis les années 1970.

Die Ritterstraße

Ritterstraße oberhalb der Lutherischen Pfarrkirche, erhielt ihren Namen von den einst hier ansässigen Rittern. Die urkundlichen Nachweise der Namen und Häuser reichen zum Teil bis ins 13. und 14. Jahrhundert zurück.

Knight Street

Ritterstraße above the Lutheran parish church, which got its name from the knights who used to live here. The names and houses are attested in documents that, in some cases, go back to the 13th and 14th cent.

La Ritterstraße

La Ritterstraße, au-dessus de l'église paroissiale protestante, hérite son nom d'un des chevaliers qui y habitait. Les archives indiquent qu'une partie des noms et des maisons remonte jusqu'aux XIIIe et XIVe siècles.

Eine Seitengasse der Barfüßerstraße.

An alley of Barfüßerstraße.

Une ruelle de la Barfüßerstraße.

Wettergasse

Mit ihren vielen kleinen Geschäften lädt die Wettergasse zum Stadtbummel ein.

Wetter alley

With its many small shops Wetter alley is an invitation for a stroll through the town.

Ruelle Wetter

Avec ces nombreuses boutiques la ruelle Wetter se prête bien à la flânerie.

Die Treppe zum Landgrafenschloss

Diese Treppe führt von der Ritterstraße zum Landgrafenschloss. Ein Ausspruch der Brüder Grimm ziert die Stufen:
„Die Lage Marburgs und umliegende Gegend ist gewiß sehr schön. Besonders wenn man in der Nähe des Schlosses steht und da herunter sieht, die Stadt selbst aber sehr hässlich. Ich glaube, es sind mehr Treppen auf den Straßen als in den Häusern. In ein Haus geht man gar zum Dache hinein."

Steps towards the Landgrafenschloss

These steps lead from Ritterstraße to the Landgrafenschloss. The steps feature is a description made by the Grimm Brothers: "Die Lage Marburgs und umliegende Gegend ist gewiß sehr schön. Besonders wenn man in der Nähe des Schlosses steht und da herunter sieht, die Stadt selbst aber sehr hässlich. Ich glaube, es sind mehr Treppen auf den Straßen als in den Häusern. In ein Haus geht man gar zum Dache hinein." (The situation of Marburg and its surroundings is certainly very attractive. Especially when one stands near the Schloss and looks down. But the town itself is very ugly. I think there are more steps in the streets than houses. In one house one even enters through the roof.)

L'escalier à château du Landgrave

Cet escalier mène de Ritterstraße au château du Landgrave. Une citation des Frères Grimm orne les marches:
« Le site de Marbourg est sans aucun doute très beau. Surtout quand on se trouve près du château et que l'on regarde vers le bas; la ville elle-même est cependant très moche. Je crois qu'il y a plus d'escaliers dans les rues que dans les maisons. On peut pour ainsi dire entrer dans une maison par le toît. »

Panorama

Blick über die Oberstadt, das Südviertel, Ockers-hausen und ins Lahntal.

Panorama

View of the upper town, the south district, Ockers-hausen and the Lahn valley.

Panorama

Vue sur la ville haute, le Südviertel, Ockershausen, et la vallée de la Lahn.

Wettergasse

In zahlreichen Cafés und Bistros kann man sich im Schatten der Fachwerkhäuser von den Strapazen des Einkaufsbummels erholen.

Wetter alley

Escape from the stress of shopping is always possible in the many cafés and bistros in the shade of the half-timbered houses.

Ruelle Wetter

Dans les nombreux cafés et bistros, à l'ombre des maisons à colombages, on peut se reposer et se remettre de la fatigue du shopping.

Markplatz

Im Schatten des historischen Rathauses kann man es sich sommers auf dem Markplatz und winters im Innern des traditionsreichen Cafés am Markt gut gehen lassen.

Market Place

In the shadow of the historic Rathaus (town hall) you can enjoy being outside on the Markplatz in summer and the cosy atmosphere of the traditional market cafés in winter.

La place du marché

À l'ombre de l'historique mairie, on peut se reposer agréablement, sur la place en été et dans les cafés riches de tradition en hiver.

Kornmarkt

Die insgesamt vier Bronzebücher am Kornmarkt sind eine neue und besondere Sehenswürdigkeit in Marburg. Sie repräsentieren Klassiker der Kinderbuch-Weltliteratur: „Pippi Langstrumpf" von Astrid Lindgren, „Der kleine Prinz" von Antoine de Saint-Exupéry und „Der kleine Hobbit" von J.R.R. Tolken. Etwas abseits und nicht im Bild ist das Buch „Emil und die Detektive" von Erich Kästner in normaler und in Blindenschrift platziert.

Cornmarket

The four bronze statues of books in Kornmarkt are a new and special sight in Marburg. Each one represents a classic of children's world literature: "Pippi Långstrump (Pippi Longstocking) of Astrid Lindgren, "Le Petit Prince (Little Prince)" of Antoine de Saint-Exupéry and the "Little Hobbit" of J.R.R. Tolken.
Somewhat to the side and not in the picture is "Emil und die Detektive" (Emil and the Detectives) of Erich Kästner in writing for the sighted and the unsighted.

Le marché aux céréales

Les quatre livres de bronze du marché aux céréales sont une nouvelle curiosité de Marbourg. Ils représentent les classiques de la littérature mondiale pour enfants : « Fifi Brindacier » d'Astrid Lindgren, « Le petit Prince » d'Antoine de Saint-Exupéry et « Le petit Hobbit » de J.R.R. Tolken.
Un peu à l'écart se trouve le livre sans images « Emil et les détectives » d'Erich Kästner en caractères normaux et en brail.

Die Enge Gasse zwischen Pilgrimstein und Oberstadt.

Ruelle entre le Pilgrimstein et la ville haute.

Alley between Pilgrimstein and the Upper Town.

Der Marktplatz

Im Zentrum der Marburger Oberstadt liegt der Marktplatz. Nach einem Spaziergang durch die unzähligen verwinkelten Gässchen und über schweißtreibende Treppen kann man hier in den Dutzenden Cafés, Restaurants und Bars das einmalige Flair dieses Ortes auf sich wirken lassen. Vor allem am Samstag lohnt sich ein Besuch, wenn der Wochenmarkt eine große Auswahl regionaler Spezialitäten bietet.

Market Square

In the centre of Marburg's Upper Town is Market Square. After a stroll through the countless winding alleys and a hike up the sweat-inducing flights of steps you can soak in the unique atmosphere of this place in any one of dozens of cafes, restaurants and bars. It is worth visiting the area on Saturday, when the weekly market offers a wide selection of regional specialities.

La place du marché

Au centre de la ville haute de Marbourg, se situe la place du marché (Marktplatz). Après une promenade dans les innombrables ruelles sinueuses et les escaliers qui font transpirer, on peut se laisser imprégner par l'ambiance unique de ce lieu dans les douzaines de cafés, restaurants et bars. Une visite le samedi, lors du marché hebdomadaire qui offre un grand choix de spécialités régionales, vaut particulièrement le coup.

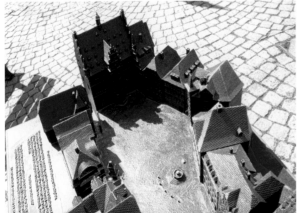

Um auch blinden und sehbehinderten Menschen einen Eindruck vom Marktplatz und den umliegenden Gebäuden zu vermitteln, wurde neben dem Brunnen 2003 ein bronzenes Modell des Areales im Maßstab 1:125 gebaut.

— ◦ —

To enable the blind and visually challenged to get some idea of Market Square and the surrounding buildings a bronze model of the area was set up next to the well in 2003, with a scale of 1:125.

— ◦ —

Afin de donner une idée de la place du marché aux aveugles et aux mal-voyants, une maquette en bronze de la place à l'échelle 1:125 fut construite à côté de la fontaine en 2003.

Das Rathaus

Der Marktplatz der Altstadt wird vom prächtigen spätgotischen Rathaus dominiert. Von 1512–1525 errichtet, fügt es sich wunderbar in die für Marburg so typischen umliegenden Fachwerkhäuser ein. Beachtung verdient vor allem die Kunstuhr im Giebel des Rathauses: Zu jeder vollen Stunde ertönt das Krähen des Hahns, bläst der Wächter und dreht der Tod die Sanduhr um.

Town Hall

The Market Square of the historic centre is dominated by the magnificent late Gothic Town Hall. Built between 1512 and 1525 it fits in beautifully with the timber frame houses so typical of Marburg. Particularly noteworthy is the elaborate clock in the pediment of the Town Hall: On the full hour the cock crows, the guard blows and the hour glass is turned by the figure of Death.

L'hôtel de ville

La place du marché (Marktplatz) est dominée par l'hôtel de ville, édifice de l'époque gothique tardive. Construit entre 1512 et 1525, il s'intègre parfaitement aux maisons à colombage typiques de Marbourg qui l'entourent. L'horloge sur le fronton de la mairie mérite particulièrement l'attention: à chaque fin d'heure, le chant du coq retentit, le gardien souffle dans son instrument et la mort retourne le sablier.

Der Marktbrunnen

Auf dem Marktplatz erinnern eine Statue und der Brunnen an Sophie von Brabant, die Tochter der Heiligen Elisabeth. Sie ließ hier ihrem ebenfalls abgebildeten Sohn Heinrich huldigen. Er wurde 1247 im Alter von nur drei Jahren Landgraf von Hessen und wurde als „Heinrich das Kind" bekannt.

Market Well

There is a statue of and a well dedicated to Sophie von Brabant, the daughter of St Elizabeth, who had her son Heinrich, also depicted, venerated here. At the age of only three he became Landgraf (Landgrave, a title dating back to The Holy Roman Empire) of Hesse and became known as Heinrich das Kind (the Child).

La fontaine du marché

Sur la place du marché, la statue et la fontaine représentent Sophie de Brabant, la fille de Sainte Elisabeth. C'est ici que le peuple rendit hommage à son fils, Heinrich, également représenté. Il devint landgrave de la Hesse à seulement trois ans et fut connu sous le nom de «Henrich l'enfant».

Steinweg

Von der Elisabethkirche aus führt der Steinweg in die Marburger Oberstadt. Tagsüber laden hier viele kleine Geschäfte zum Stöbern ein. Nachts ist dieser Teil der Oberstadt besonders belebt, weil sich hier viele bei den Studenten besonders beliebte Kneipen, wie das berüchtigte „Delirium" (Foto rechts), befinden.

Steinweg

The Steinweg runs from the church of St Elizabeth to the Marburg Upper Town. By day the many shops provide an invitation to go exploring. By night this section of the Upper Town is particularly lively because of the many student pubs, such for example as the notorious Delirium (right photo).

Steinweg

Le chemin de pierres (der Steinweg) part de l'église Sainte-Elisabeth et conduit à la ville haute. Pendant la journée, c'est le coin idéal pour faire les boutiques. Cette partie de la ville haute est particulièrement vivante le soir car on y trouve de nombreux bars appréciés des étudiants, comme le déjanté «Delirium» (photo à droite).

Ecke Steinweg (links) und Roter Graben (rechts).

Street corner of Steinweg (left) and Roter Graben (right).

Angle du Steinweg (à gauche) et le Roter Graben (à droite).

„Schlucke"

Eine von vielen Studentenkneipen: die „Schlucke" am Renthof.

One of many student taverns: the 'Schlucke' in the Renthof.

Un de beaucoup de bars estudiantin : le «Schluke» situé dans le Renthof.

Steinweg

Nicht zuletzt Kleinode wie die Tür zum Haus des ehemaligen Schreiner-meisters Löwer machen die besondere Atmosphäre entlang des Steinwegs aus.

The special atmosphere along the Steinweg is due not least to gems such as the door to the house of the former cabinet maker Löwer.

De réels bijoux, la porte de la maison de l'ancien menuisier n'en étant pas des moindres, créent une atmosphère particulière le long du Steinweg.

Der Kofferträger Christian

In den 1950er- und 1960er-Jahren war Christian als Dienstmann Nr. 4 Koffer- und Gepäckträger am Marburger Hauptbahnhof. Er war ein stadtbekanntes Original, verbreitete stets gute Laune und hatte immer ein Liedchen auf den Lippen. Bei der Marburger Bevölkerung war er so beliebt, dass man ihm nach seinem Tod am oberen Ende der Wettergasse ein Denkmal errichtete. Man sagt, es zeigt ihn in voller Lebensgröße.

Railway Porter Christian

In the 1950s and 1960s Christian was Railway Porter no.4 at the main station of Marburg. Everyone knew him. He was always cheerful and singing. People in Marburg loved him so much that, after his death, they put a monument up to him at the upper end of Wettergasse. It is said to be a life-sized representation of him.

Christian le porteur

Dans les années 1950–1960, Christian, employé n°4, était porteur de valises et de bagages à la gare centrale de Marbourg. C'était un original connu de tout le monde dans la ville. Il dégageait une constante bonne humeur et avait toujours une chansonnette aux lèvres. Il était tellement aimé des habitants de Marbourg qu'on construisit à sa mort un monument à sa mémoire en haut de la Wettergasse. Il est supposé y être représenté en grandeur nature.

Die Barfüßerstraße

Vom Marktplatz aus führt der Spaziergang durch die Oberstadt in die Barfüßerstraße. Auch hier lässt es sich gut verweilen. Biegt man in eine der Gassen rechts ab, kann man den Aufstieg zum Schloss beginnen, der auch an der Lutherischen Pfarrkirche vorbeiführt.

Barfüßerstraße

From Market Square you walk through the Upper Town into Barfüßerstraße. Here too it is a good idea to spend some time. If you turn right into one of the alleys, you can start walking up to the Castle, which takes you past the Lutheran parish church.

La Barfüßerstraße

La promenade part de la place du marché (Marktplatz) et mène à la Barfüßerstraße, en passant par la ville haute. Là aussi, cela mérite qu'on s'y attarde. En prenant une ruelle sur la droite, on peut entamer la montée vers le château, qui mène également à l'église paroissiale luthérienne.

Der alte Friedhof am Barfüßertor

Setzt man seinen Weg weiter fort, passiert man den historischen Friedhof Marburgs. Er wurde im 16. Jahrhundert angelegt und lag damals noch außerhalb des Stadtgebiets. Über 300 Jahre lang wurden hier die Verstorbenen der Stadt beigesetzt, bis wegen Platzmangels auf den neuen Hauptfriedhof an der Ockershäuser Allee ausgewichen werden musste.

The old cemetery at Barfüßertor

If you carry on walking, you will pass the historic cemetery of Marburg. It was laid out in the 16th cent. and at that time was still outside the town area. For more than 300 years the town buried its dead here, until shortage of space made it necessary to relocate in a new cemetery in the Ockershäuser Allee.

L'ancien cimetière à Barfüßertor

En poursuivant votre chemin, vous passerez devant le cimetière historique de Marbourg. Il fut créé au XVIe siècle et se trouvait alors à l'extérieur de la ville. Les morts de la ville furent enterrés ici pendant plus de 300 ans, jusqu'à ce qu'ils durent, du fait du manque de place, être enterrés dans le nouveau cimetière de la Ockershäuser Allee.

Barfüßerstraße 35

Zu den vielleicht berühmtesten Studenten in der
fast fünfhundertjährigen Geschichte der Philipps-
Universität zählen ohne Zweifel die Brüder Grimm,
die hier von 1802–1805 Rechtswissenschaften
studierten. In diesen Jahren bewohnten sie dieses
Haus in der Barfüßerstraße.

Barfüßerstraße Nr. 35

Perhaps the most famous students in the almost
500 year history of the University are the Grimm
Brothers, who studied jurisprudence here from
1802 to1805. During this time they lived here in
this house in the Barfüßerstraße.

Barfüßerstraße n° 35

Les frères Grimm comptent sans aucun doute parmi
les étudiants les plus connus de l'histoire - longue
de presque 500 ans - de la Philipps-Université. Ils
y firent des études de droit de 1802 à 1805. Ces
années-là, ils habitèrent cette maison de la Barfüßerstraße.

Clemens Brentano
1778 - 1842

Dichter der deutschen
Romantik, bedeuten-
der Lyriker, Erzähler
und Dramatiker.
Sammler und Heraus-
geber von Volkslie-
dern.
Lebte in diesem Haus
gemeinsam mit seiner
Frau Sophie Mereau-
Brentano von 1803 bis
1804.

Daniel
Kleimann
geb. 1983

Bünder Gelehrter und
Musiker. Ob er eine
Universität gründen und
eine Marburgerin hei-
raten wird, ist noch
nicht klar, aber – so-
viel ist sicher – er wird
Großes vollbringen.
Lebte in diesem Haus
von 2004 bis 2006 zum
Zwecke des Medizin-
Studiums an der Philipps-
Universität und freute
sich wie heute seine
Nachmieter, wenn Tou-
risten auf der Gasse
nicht lärmen.

Berühmte Marburger

Neben den Brüdern Grimm haben im Laufe der
Jahrhunderte viele bedeutende Persönlichkeiten
in Marburg gelebt und studiert. An vielen Häusern
erinnern Plaketten an frühere Bewohner, wie
zum Beispiel an diesem Haus in der Reitgasse, in
dem der Dichter Clemens Brentano gelebt hat. An
einem anderen Haus in der Barfüßerstraße hat sich
ein Marburger Student kurzerhand selbst verewigt.
Um 1529 an den Marburger Religionsgesprächen
teilzunehmen, bezog Dr. Martin Luther dieses
Haus in der Barfüßerstraße.

Famous Residents of Marburg

In addition to the Grimm Brothers many famous
people have lived and studied in Marburg. Many
houses bear plaques recalling earlier residents,
such as the house in Reitgasse, where the poet Clemens Brentano lived. Another house in Barfüßerstraße was home to someone who soon established
his place in history. Around 1529, in order to take
part in the religious debates in Marburg, Martin
Luther resided in this house in Barfüßerstraße.

Quelques marbourgeois célèbres

Outre les frères Grimm, de nombreuses autres
personnalités ont étudié et vécu à Marbourg au
cours des siècles. Sur de nombreuses maisons, des
plaques rendent hommage à d'anciens habitants,
comme par exemple sur cette maison de la Reitgasse, où le poète Clemens Brentano a vécu. Sur
une autre maison de la Barfüßerstraße, un étudi-
ant de Marbourg n'a pas hésité à s'immortaliser lui-
même. Venu en 1529 pour participer au colloque
de Marbourg, Martin Luther occupa cette même
maison de la Barfüßerstraße.

Der Oberstadtaufzug

Wer den Aufstieg zur Oberstadt nicht zu Fuß machen möchte, kann von einer weiteren Marburger Besonderheit Gebrauch machen: Vom Pilgrimstein aus verbinden mehrere Aufzüge den unteren und den oberen Teil der Stadt. So lassen sich die rund vierzig Höhenmeter bequem in wenigen Sekunden bewältigen.

Upper Town Lift

Those who do not wish to to go up to the Upper Town on foot can make use of another Marburg speciality: Several lifts connect the the upper and lower parts of the town starting from the Pilgrimstein (Pilgrim Stone). They enable you to cover the 40 metres of height comfortably in a few seconds.

L'ascenseur de la ville haute

Si l'on n'a pas envie de faire la montée vers la ville haute à pieds, on peut profiter d'une autre particularité de Marbourg : plusieurs ascenseurs relient la partie basse à la partie haute de la ville depuis le Pilgrimstein. Ainsi peut-on sans peine venir à bout des quelques quarante mètres de hauteur en très peu de temps.

Der Hirschberg Nr. 13

Das unterhalb des Rathauses gegenüber der Alten Universität liegende Fachwerkhaus Hirschberg 13 wurde 1321 errichtet und ist das älteste seiner Art in Marburg.

Hirschberg Nr. 13

The timber frame house below the Town Hall opposite the Old University, Hirschberg 13, was constructed in 1321 and is the oldest of its kind in Marburg.

Hirschberg n°13

En-dessous de l'hôtel de ville et en face de la vieille université, se trouve, au n°13 du Hirschberg, la plus ancienne maison à colombage de Marbourg. Elle fut construite en 1321.

Die Kilianskapelle

Die am Schuhmarkt unterhalb des Marktplatzes gelegene Kilianskapelle ist das älteste erhaltene Gebäude Marburgs. Der zwischen 1180–1200 errichtete Bau diente bis ins 16. Jahrhundert als Kirche. In den folgenden Jahrhunderten hatte es verschiedene Funktionen. So war hier die Stadtwaage untergebracht, die Zunftstube der Schuhmacher, später eine Schule, ein Waisenhaus und zwischenzeitlich sogar ein Schweinestall. Seit 1969 war das Deutsche Grüne Kreuz hier ansässig.

Chapel of St Kilian

The Chapel of St Kilian on the Schuhmarkt below Market Square is the oldest extant building in Marburg. Built between 1180 and 1200 it was used as a church until the 16th cent. In the following centuries it was used for various purposes. The city scales were kept here, and it was the guild house of the shoemakers, a school, an orphanage and, from time to time, even a pig sty. Since 1969 the German Green Cross was located here.

La Chapelle Kilian

La Chapelle Kilian (Kilianskapelle), située au niveau du marché aux chaussures, en bas de la place du marché, est l'édifice le plus ancien de Marbourg. Construit entre 1180 et 1200, il servit d'église jusqu'au XVI e siècle. Les siècles suivants, il eu plusieurs fonctions. Il accueillit la bascule publique, le siège de la corporation, le cordonnier, puis, plus tard, une école, un orphelinat et même, pour une courte période, une porcherie. Depuis 1969, la Croix verte allemande y avait son siege marbourgeois.

Die Lutherische Pfarrkirche

Die zu Fuße des Landgrafenschlosses liegende Lutherische Pfarrkirche gehört zu den markantesten Bauwerken der Marburger Oberstadt. Dazu trägt vor allem der Turm bei. Im 15. Jahrhundert als Provisorium entworfen, hat sich die hölzerne Konstruktion im Verlaufe der Jahrhunderte gekrümmt und verzerrt. Eine Marburger Redensart besagt, dass der Turm sich erst dann wieder aufrichten würde, wenn eine Medizinstudentin Marburg als Jungfrau verlässt.

Lutheran Parish Church

The Lutheran parish church, at the foot of the Castle of the Landgrave, is one of the most striking buildings of the Marburg Upper Town, largely because of the tower. In the 15th century it was designed as a temporary building and the wooden structure has become bent and distorted over the centuries. There is a saying in Marburg that the tower would become straight again when a female medical student left Marburg still a virgin.

L'église paroissiale luthérienne

L'église paroissiale luthérienne, située au pied du château du landgrave, est l'un des édifices les plus marquants de la ville haute de Marbourg. Et cela, surtout grâce à la tour. Erigée au XVe siècle de manière provisoire, la construction en bois s'est courbée et déformée au cours des siècles. Un dicton marbourgeois dit que la tour se redressera le jour où une étudiante en médecine quittera Marbourg vierge.

Der Hexenturm

Nordwestlich des Schlosses befindet sich der Hexenturm. Vom Baumeister Hans Jakob von Ettlingen im Jahre 1478 erbaut, diente der Hexenturm zunächst als Geschützturm. Später, von 1500–1864, wurde das Bauwerk dann als Gefängnis genutzt. In den gut erhaltenen Gefängniszellen finden sich noch heute an den Wänden die Inschriften damaliger Häftlinge.

Witches Tower

Northwest of the Castle is the Witches Tower, built by architect Hans Jakob von Ettlingen in 1478. It was used first as a defence tower. Later from 1500 to1864 it was used as a prison. In the well preserved prison cells you can still see graffiti written by the prisoners.

La tour des sorcières

Au nord-ouest du château, se trouve la tour des sorcières (Hexenturm). Construite en 1478 par l'architecte Hans Jakob von Ettlingen, elle servit dans un premier temps de tourelle. Par la suite, de 1500 à 1864, la tourelle servit de prison. Sur les murs bien conservés des cellules, on peut voir, aujourd'hui encore, les inscriptions d'anciens prisonniers.

Die Camera Obscura

Einen ganz besonderen Blick auf das Landgrafen-schloss und über die Stadt bietet an sonnigen Tagen die Camera Obscura, die unmittelbar vor dem Schloss steht. Nach einer kurzen Einführung in das physikalische Prinzip und die Geschichte bekommt man hier faszinierende Bilder zu sehen.

Camera Obscura

On sunny days the Camera Obscura, which is directly in front of the Castle, presents a very special view of the Landgrave's Castle and the town. After a brief introduction in physical principle and history you also get to see some fascinating pictures.

La chambre noire

Les jours ensoleillés, la chambre noire se trouvant directement devant le château offre une vue toute particulière sur le château du landgrave et sur la ville. Après une brève introduction à son principe de fonctionnement et à son histoire, on peut voir ici des images fascinantes.

Die Lahn

Mitten durch das Lahntal, an dessen Hängen die Stadt liegt, fließt die Lahn durch Marburg. An vielen Stellen ist das Ufer von weitläufigen Wiesen gesäumt. Während der Sommermonate laden sie zum Sonnenbaden und Grillen ein, hier an der Mensa oder am Wehr in Weidenhausen.

River Lahn

The Lahn flows through the middle of the Lahn valley, on the slopes of which lies the town of Marburg. In many places the bank has a border of extensive meadows. During the summer months the meadows are an invitation to sunbathing and barbecuing, here at the Mensa or at Wehr in Weidenhausen.

Le Lahn

Au milieu de la vallée abritant la ville, le Lahn coule à travers Marbourg. À plusieurs endroits, les berges sont bordées de vastes pelouses. Pendant les mois d'été, elles sont propices aux bains de soleil et aux barbecues, près du restaurant universitaire ou près du barrage, dans le quartier de Weidenhausen.

Die Lahn

Regelmäßig wird Marburg vom Hochwasser heimgesucht und die Lahn tritt über die Ufer, wie hier beim Bootsverleih in Weidenhausen. Im Sommer ist er ein beliebter Treffpunkt der Marburger.

The Lahn

Marburg regularly has problems of flooding, when the Lahn bursts its banks, as here at the boat rental house in Weidenhausen. In the summer it is a favourite meeting place for locals.

Le Lahn

Marbourg est régulièrement innondée et le Lahn sort de son lit, comme ici à la location de bâteaux à Weidenhausen. En été c'est un point de rencontre apprécié des marbourgeois.

Hängebrücke ▶

Die Fußgängerbrücke über die Lahn führt zum Multiplexkino am Gerhard-Jahn-Platz. Im Hintergrund sieht man die Alte Universität.

Suspension Bridge

The pedestrian bridge over the Lahn leads to the multiplex cinema on Gerhard-Jahn-Platz. In the background you can see the Alte Universität (Old University).

Le pont suspendu

Le pont suspendu au-dessus du Lahn mène au cinéma multiplex de Gerhard-Jahn-Platz. On voit l'ancienne université en arrière-plan.

Weidenhausen

Nach der Oberstadt ist das auf der anderen Lahnseite gelegene Weidenhausen der älteste Stadtteil Marburgs. Bereits 1250 wurde die erste Brücke, die beide Stadtteile miteinander verband, errichtet.

Weidenhausen

After the Upper Town Weidenhausen, on the other side of the river, is the oldest part of Marburg. As early as 1250 the first bridge to connect both parts of the town was built.

Weidenhausen

Après la ville haute, Weidenhausen, qui se situe de l'autre côté du Lahn, est le plus vieux quartier de Marbourg. Dès 1250, le premier pont reliant les deux parties de la ville fut construit.

Die Kappesgasse
in Weidenhausen

The Kappesgasse
in Weidenhausen

La Kappesgasse
à Weidenhausen

Wie in der Oberstadt dominieren Fachwerkhäuser das Erscheinungsbild dieses Stadtteils, wie zum Beispiel in der Weidenhäuser Straße.
Weiter flussabwärts gelangt man zur alten Hirsemühle.

―◦―

As in the Upper Town the townscape is dominated by timber frame houses, like these in the Weidenhäuser Straße.
Further downstream you come to the old Hirsemühle (Millet Mill).

―◦―

Tout comme dans la ville haute, ce sont les maisons à colombage qui donnent l'image d'ensemble du quartier, comme par exemple dans la Weidenhäuser Straße.
Plus en aval, on arrive aux vieux moulins de millet.

Die Hirsemühle

Die Hirsemühle an der Lahn in Weidenhausen.

―◦―

lit. Millet Mill

The Hirsemühle on the Lahn in Weidenhausen.

―◦―

Le moulin de millet

Le moulin de millet sur le Lahn à Weidenhausen.

Das Südviertel

Als sich im ausgehenden 19. Jahrhundert die Einwohnerzahl in weniger als dreißig Jahren mehr als verdoppelte, wurden um das historische Zentrum herum neue Stadtteile erschlossen.
Zu den schönsten zählt das zwischen 1875–1910 größtenteils im Gründerzeitstil erbaute Südviertel.

South Quarter

As the the population more than doubled in less than thirty years at the end of the 19th cent., new parts of the town began to be developed around the historic centre.
Among the most attractive is the South Quarter, built between 1875 and 1910 largely in the Wilhelminian style.

Le quartier sud

Vers la fin du XIXe siècle, le nombre d'habitants ayant plus que doublé en moins de trente ans, de nouveaux quartiers furent construits autour du centre historique.
Construit entre 1875 et 1910, en grande partie dans le style Gründerzeit, le quartier sud (Südviertel) compte parmi les plus beaux de la ville.

Der Friedrichsplatz

Der Friedrichsplatz mit dem Staatsarchiv im Hintergrund.

The Friedrichsplatz

The Friedrichsplatz with the State Archive in the background.

La Friedrichsplatz

La Friedrichsplatz avec les archives municipales en arrière-plan.

Die Stresemannstraße

The Stresemann Street

La rue Stresemann

Ecke Liebig- und
Haspelstraße.

Corner of Liebig and
Haspel Streets.

Angle de la
Liebigstraße et de
la Haspelstraße.

ביתי בית תפלה יקרא לכל העמים נאם ארני ה' מקבץ נדחי ישראל

Die Synagoge

Neben dem hessischen Staatsarchiv steht hier auch die neue Synagoge in der Liebigstraße, die im November 2005 eingeweiht wurde.

Synagogue

Next to the Hessian State Archive is also the new synagogue in the Liebigstraße, which was inaugurated in November 2005.

La synagogue

À côté des archives nationales, se trouve également la nouvelle synagogue dans la Liebigstraße, qui fut inaugurée en 2005.

A
D
de
St
gi
G
ev
sä

Wilhelmstraße 12

Wilhelm Street Nr. 12

Rue Wilhelm n° 12

Studenten aller Fachbereiche schätzen vor allem die besondere Atmosphäre im Foyer (rechts) und in der alten Bibliothek (unten).

Students of all faculties appreciate in particular the special atmosphere in the Foyer (right) and in the Old Library (below).

Les étudiants de toutes les facultés apprécient avant tout l'ambiance particulière du foyer (à droite) et de la vieille bibliothèque (en bas).

University Church

The University church was built around 1300 and was originally the church of the Dominican monastery.

In the 16th century ownership of the entire complex was transferred to the University and the Old University was built on the site of the monastery. On the occasion of the 400th anniversary of the University the interior of the church was extended considerably in 1927 to assume the form it now has.

Die Universitätskirche

Die Universitätskirche wurde um 1300 erbaut und war ursprünglich die Klosterkirche eines Dominikanerklosters.

Im 16. Jahrhundert wurde der gesamte Komplex der Philipps-Universität übereignet und an der Stelle des Klosters entstand die Alte Universität. Anlässlich des 400-jährigen Universitätsjubiläums wurde der Innenraum der Kirche 1927 aufwendig umgebaut und nahm seine heutige Gestalt an.

L'église de l'université

L'église de l'université fut construite en 1300 et était à l'origine l'église conventuelle d'un cloître dominicain.

Au XVIe siècle, l'ensemble devint la propriété de la Philipps-Universität et l'ancienne université fut construite à l'emplacement du cloître. En 1927, à l'occasion des 400 ans de l'université, l'intérieur de l'église fut rénové avec soin et prit son aspect actuel.

Die Philosophische Fakultät

Der zwischen 1963–1967 errichtete Gebäudekomplex der Philosophischen Fakultät ist heute ein markanter Blickpunkt im Stadtbild. Hier befindet sich auch die in Form eines Würfels gestaltete Universitätsbibliothek (rechts unten).

—◦—

Faculty of Philosophy

The building complex of the Faculty of Philosophy, built between 1963 and 1967, is a striking focal point of the townscape. It also contains the University Library, designed in the form of a cube (right below).

—◦—

La faculté de philosophie

L'ensemble des bâtiments constituant la faculté de philosophie, construit entre 1963 et 1967, est aujourd'hui incontournable dans la physionomie de la ville. C'est également ici que se trouve le cube de la bibliothèque universitaire (à droite en bas).

Die Sternwarte

Der wahrscheinlich am schönsten gelegene Fachbereich der Universität ist der der Physik. Das Gebäude mitsamt der dazugehörigen Sternwarte wurde in seiner heutigen Form 1890 am Renthof errichtet.

Observatory

Probably the best situated Faculty in the University is the Physics Faculty. The building, including the Observatory, was constructed in its present form at Renthof in 1890.

L'observatoire

C'est probablement la faculté de physique qui est la mieux située d'entre toutes. L'édifice dans son aspect actuel, ainsi que l'observatoire qui lui appartient, a été construit en 1890 à Renthof.

Der Alte Botanische Garten

Ursprünglich wurde der am Fuße der Oberstadt gelegene botanische Garten 1786 vom Deutschordenshaus als französischer Lustgarten angelegt. Die Universität übernahm ihn 1810 und baute ihn zur heutigen Größe aus.

Seit der Entstehung eines neuen Botanischen Gartens in den 1960-er Jahren auf den Lahnbergen wird der Garten als öffentliche Parkanlage genutzt.

Old Botanical Garden

The Botanical Garden, below the Upper Town, was originally laid out in 1786 by the Deutschordenshaus (Teutonic Order) as a French pleasure garden. The University took it over in 1810 and extended it to its present size.

Since the creation of a new Botanical Garden in the 1960s in the Lahn hills the Old Garden has been used an an official park area.

Le vieux jardin botanique

En 1786, le jardin botanique, situé aux pieds de la ville haute, fut aménagé en jardin d'agrément à la française par la maison de l'Ordre Teutonique. L'université le reprit en 1810 et l'agrandit à la taille actuelle.

Le parc est utilisé comme jardin public depuis l'aménagement d'un nouveau jardin botanique sur les collines du Lahn dans les années 1960.

Der Knabe mit Fisch

Die Bronzefigur „Knabe mit Fisch" befindet sich am südlichen Ufer des Teichs im Botanischen Garten. Er soll an die einst an Pilgrimstein und Ketzerbach spielenden Kinder erinnern.

The Boy with Fish

The bronze statue "Knabe mit Fisch" is on the south bank of the pond in the Botanical Garden. It is meant to to recall the children who once used to play on Pilgrimstein and Ketzerbach.

Le garçon au poisson.

La figure en bronze du « garçon au poisson » se trouve sur la rive sud de l'étang dans le jardin botanique. Il est censé rappeler les enfants qui jouaient autrefois près du Pilgrimstein et du Ketzerbach.

Herbst im Botanischen Garten. Autumn in the Botanical Garden. Automne au jardin botanique.

Das Landgrafenschloss

Das vielleicht prägnanteste Bauwerk Marburgs ist das Landgrafenschloss. Es thront auf dem Schlossberg über der Oberstadt und ist weithin sichtbar. Von dort oben hat man einen besonders schönen Ausblick über die Dächer. Das Schloss wurde im 11. Jahrhundert als Burg angelegt und erlangte in den folgenden Jahrhunderten als Residenz der Landgrafen von Hessen historische Bedeutung. Im 18. Jahrhundert wurde es um eine Festungsanlage erweitert und militärisch genutzt. Bereits ab 1770 begann jedoch die Schleifung dieser Anlage, die 1807 nach der Besetzung des Schlosses durch napoleonische Truppen vollendet wurde. In der Folgezeit nutzte man das Gebäude unter anderem als hessisches Staatsarchiv und als Gefängnis. 1946 gelangte es schließlich in den Besitz der Philipps-Universität und beherbergt heute das Museum für Kulturgeschichte.

Castle of the Landgrave

Perhaps the most laconic building in Marburg is the the Landgrave's Castle. Located on the Schlossberg, It presides over the the upper town and can be seen from quite a long distance. From this vantage point you have a particularly fine view over the roofs. The Castle was planned in the 11th century as a fortress and in the following centuries became important as the residence of the Landgrave of Hesse. In the 18th century it was extended to include a fortification area and was used for military purposes. From 1770, however, this area began to lose its fortifications, a process that was completed after the occupation of the Castle by Napoleonic troops. Later, the building was used, among other things, as the Hessian State Archive and a prison. In 1946 it came into the possession of the University and is now home to the Museum of Cultural History.

Le château du landgrave

L'édifice le plus frappant de Marbourg est peut-être le château du landgrave. Erigé en haut du Schlossberg, il domine la ville haute et est visible de loin. De là haut, on a une très belle vue sur les toits. Le château fut transformé en château fort au XIe siècle et acquit au cours des siècles suivants une valeur historique importante en tant que résidence du landgrave de la Hesse. Au XVIIIe siècle, on y ajouta des fortifications et il fut utilisé à des fins militaires. Cependant, la démolition de ces fortifications commença dès 1770 et fut achevée après l'occupation du château par les troupes de Napoléon. Dans les temps qui suivirent, l'édifice fit, entre autres, office d'archives nationales et de prison. En 1946, il fut acquis par la Philipps-Université et abrite aujourd'hui le musée d'histoire locale (Museum für Kulturgeschichte).

Der Kaiser-Wilhelm-Turm

Dem Schloss gegenüber auf den Lahnbergen thronend, bietet der Kaiser-Wilhelm-Turm die wohl spektakulärste Aussicht über die Stadt und das Umland. Das 36 Meter hohe Bauwerk wurde 1890 nach dreijähriger Bauzeit eingeweiht.
Unweit des Turms befand sich schon im frühen 19. Jahrhundert ein beliebtes Ausflugsziel, das vom Studenten Werner Freiherr von Spiegel ausgebaut wurde. Im Volksmund bürgerte sich die Bezeichnung „Spiegelslust" ein, die später auch auf den Turm übertragen wurde, sodass heute der Name „Spiegelslustturm" weitaus geläufiger ist als die offizielle Bezeichnung.

Emperor Wilhelm Tower

Perched on the Lahn hills opposite the Castle the Emperor Wilhelm Tower offers the most spectacular view by far of the town and the surrounding area. The tower, which is 36 m high, was inaugurated in 1890 after a three-year construction period. Not far from the tower in the early 19th century it was a favourite destination, equipped by the student Werner Freiherr von Spiegel The restaurant became known to locals as "Spiegelslust" (Spiegel's Pleasure), which was then transferred to the tower, so the name "Spiegelslustturm" (Spiegel's Pleasure Tower) is much more common than the official name.

La tour de l'Empereur Wilhelm

En face du château perché sur les collines du Lahn, la tour de l'Empereur Wilhelm propose la vue la plus spectaculaire sur la ville et sa périphérie. L'édifice de 36 mètres de haut fut inauguré en 1890 après trois ans de travaux. Pas loin de la tour, se trouvait déjà au début du XIXe siècle un but d'excursion apprecié, developpé par l'etudiant Werner Freiherr von Spiegel Dans le langage populaire, se répandit l'appellation «Spiegelslust». Celle-ci fut reprise également pour la tour, à tel point qu'aujourd'hui le nom «Spiegelslustturm» est plus courante que la désignation officielle.

Von der Aussichtsplattform des Turms lässt sich die gesamte Stadt überblicken. Markante Bauwerke wie die Universitätsbibliothek (unten Mitte) die Philosophische Fakultät (unten links) und die Elisabethkirche (unten rechts) stechen besonders ins Auge.

Marburgs Studenten meiden jedoch den Besuch des Turms bevor sie ihre Zwischenprüfung abgelegt haben. Einem Aberglauben zufolge fällt nämlich jeder durch, der vorher schon einmal hier war.

From the viewing platform of the tower the whole town can be seen. Striking buildings, such as the University Library (below center), the Faculty of Philosophy (below left) and the Church of St Elizabeth (below right), are particularly prominent.
Marburg's students, however, avoid the visiting the tower until they have done their intermediate exams. There is a superstition that any student who has been here will fail.

Depuis la plateforme de la tour, on peut profiter d'une très belle vue sur l'ensemble de la ville. Les édifices marquants, tels que la bibliothèque de l'université (en bas centre), la faculté de philosophie (en bas à gauche) et l'église Sainte-Elisabeth (en bas à droite), attirent particulièrement l'attention.
Les étudiants de Marbourg évitent pourtant la visite de la tour avant d'avoir passé leurs examens. Une superstition veut en effet que soit recalé celui qui s'y est rendu avant ses examens.

Das Behring-Mausoleum

In Marburg haben viele bedeutende Wissenschaftler gewirkt. Einer von ihnen ist der Mediziner Emil von Behring. Für die Entwicklung eines Serums zur Therapie von Diphtherie erhielt er 1901 den ersten Nobelpreis für Medizin. Später gründete er im Stadtteil Marbach, wo sich auch schon seine ersten Laboratorien befanden, die Behringwerke. Nach seinem Tod 1917 wurde er unweit in einem Mausoleum beigesetzt.

Gegenüber der Elisabethkirche erinnert eine Büste an den großen Wissenschaftler.

Das Behring-Mausoleum

Marburg has been home to many scholars, one of whom was the medical doctor Emil von Behring. In 1901 he was awarded the first Nobel Prize for Medicine for his serum to treat diphtheria. He later established the Behringwerke (a production plant) in Marbach, where he had set up his first laboratories. After his death in 1917 he was buried in a nearby mausoleum. There is a commemorative bust of the great scholar opposite the Church of St Elizabeth.

Le mausolée de Behring

De nombreux scientifiques de renom ont travaillé à Marbourg. L'un d'entre eux est le médecin Emil von Behring. Il obtint en 1901 le premier prix Nobel de médecine pour avoir mis au point un sérum soignant la diphtérie. Il fonda plus tard l'atelier Behring dans le quartier de Marbach, où se trouvaient déjà ses premiers laboratoires. Après sa mort en 1917, il fut enterré non loin de là dans un mausolée.

En face de l'église Elisabeth, un buste rend hommage au grand scientifique.

BEHRING
1854–1917

Street-Art

Ob als aufwendig gestaltetes Gemälde oder schlichte politische Meinungsäußerung: Graffitis gehören zum Marburger Stadtbild wie die Fachwerkhäuser und das Schloss. Ob man sie als Kunst oder als Vandalismus ansieht, bleibt dem Betrachter überlassen. Um das Wesen Marburgs zu verstehen, lohnt sich ein genauerer Blick auf die gesprühten Bilder. Die Fußgängerunterführung am Rudolphsplatz gehört zu den beliebtesten Flächen und wird regelmäßig neu gestaltet.

Street-Art

Whether you think they are elaborately designed paintings or simply expressions of political opinion, graffiti are part of the Marburg urban landscape as much as timber frame houses and the Castle. Whether they are to be seen as art or vandalism is in the eye of the beholder. In order to understand the nature of Marburg it is worthwhile taking a more precise look at the sprayed images. The pedestrian underpass on Rudolphsplatz is one of the favourite areas and is regularly re-designed.

Street-Art

Qu'on les considère comme des travaux de longue haleine ou comme de simples expressions politiques, les graffitis font partie de la physionomie de Marbourg, tout comme les maisons à colombage et le château. C'est à l'observateur de décider s'il veut les voir comme de l'art ou comme du vandalisme. Pour comprendre l'essence de Marbourg, cela vaut la peine de bien observer ces images pulvérisées. Le passage souterrain, place Rudolph (Rudolphsplatz), fait partie des surfaces les plus appréciées et est régulièrement recouvert de nouveaux graffitis.

KFZ

Im Kulturzentrum KFZ finden regelmäßig hochkarätige Konzerte statt. Musiker aus allen Teilen der Welt sind hier schon aufgetreten. Im recht kleinen Saal kommt das Publikum den Künstlern besonders nahe. Man steht dicht gedrängt, was die Stimmung buchstäblich zum Kochen bringt.

KFZ

The cultural centre KFZ regularly has high quality concerts. Musicians from all parts of the world have appeared here. The very small space allows the public to get really close to the artists, and the people are so close to each other that it can have an electric effect on the atmosphere.

KFZ

Au centre culturel KFZ , des concerts de qualité ont lieu régulièrement. Des musiciens venant du monde entier se sont déjà produits ici. Dans une petite salle à l'ambiance intimiste, le public se trouve particulièrement près de l'artiste. On y est très serré, ce qui donne littéralement une ambiance bouillonnante.

Die Waggonhalle

Die hinter dem Gleisfeld des Hauptbahnhofs gelegene Waggonhalle bietet ein vielfältiges kulturelles Angebot: Theater, Kabarett, Varieté und wechselnde Ausstellungen stehen täglich auf dem Programm.

Waggonhalle

The Waggonhalle (a shed for trains) behind the track field of the main station provides a varied range of cultural events on a daily basis: theatre, cabaret, vaudeville and exhibitions.

La Waggonhalle

Située derrière les quais de la gare, la Waggonhalle offre un programme culturel varié : théâtre, cabaret, variété et expositions temporaires figurent tous les jours sur le programme.

Capitol

Das Capitol in der Biegenstraße ist nicht nur wegen seiner charmanten Atmosphäre, sondern auch wegen seiner besonderen Film-auswahl eines der beliebtesten Lichtspielhäuser Marburgs.

————◦▸————

Capitol

The Capitol, in the Biegenstraße, is one of the most popular cinemas in Marburg, not just for its charming atmosphere, but also for its special selection of movies.

————◦▸————

Capitol

L'atmosphère agréable qui y règne et la qualité de la programmation attirent de nombreux visiteurs au cinéma d'art et d'essai Capitol situé dans la Biegenstraße.

Wartberg Verlag & Co. KG
Im Wiesental 1 | 34281 Gudensberg
www.wartberg-verlag.de

Bücher für Deutschlands Städte und Regionen
Tel. 05603-93050 | 05603-930528
www.kindheitundjugend.de